PI i 3   51-

PI i 3   51-

ENSEMBLES RUSTIQUES

ENSEMBLES RUSTIQUES

par

J. ARNAUD

PARIS, 2, RUE DE L'ÉCHELLE

ÉDITIONS CHARLES MASSIN

ACHEVÉ D'IMPRIMER SUR LES
PRESSES DE L'IMPRIMERIE MODERNE
AURILLAC

FRONTISPICE :

Dans la salle de séjour la table des repas est séparée du coin de feu par des piliers soutenant les énormes poutres du plafond, noircies par les ans. Sol dallé en noir et blanc, plafond aux solives apparentes, gardent à la pièce son caractère champêtre. Appuyé contre la paroi un buffet-vaisselier bressan est chargé d'objets en faïence et en porcelaine. Table Louis XIII rustique avec pieds à colonne et chaises Restauration à dossier en forme de lyre. Au premier plan, accrochée au mur une panetière bourguignonne.

ENSEMBLES RUSTIQUES

Les meubles, les objets rustiques sont des produits locaux dont chaque famille s'entourait par nécessité. Aujourd'hui ils sont les témoins d'une existence, d'une époque et le reflet subtil de toutes les traditions auxquelles ils répondaient par obéissance corporative et respect aux coutumes locales. Ce sont généralement des meubles robustes, solides, au fini d'exécution parfait mais possédant tous une diversité due à la région, à la fantaisie, à l'habileté des artisans locaux et aux besoins du propriétaire. Les maisons des gentilshommes campagnards ne comportèrent sans doute jamais de mobilier en bois précieux ou rare mais essentiellement des meubles en bois du pays, naturel ou ciré qui s'adaptaient parfaitement, par leur forme et leur importance à l'utilisation, aux exigences de chaque jour. Chaque pièce répondait aux besoins de la famille pour laquelle l'ébéniste l'avait créée. En général la forme typique des meubles régionaux varie peu tandis que l'ornementation, le décor, les ferronneries changent selon l'époque, le style et l'inspiration de l'artisan.

Une très large gamme de meubles rustiques s'étend de la pièce taillée dans un arbre fruitier pour la vie d'un fermier, au meuble sculpté pour le gentilhomme du pays. Entre la rusticité de l'un et le travail fini, richement décoré de l'autre, nous pouvons trouver tout l'ameublement nécessaire à chacun d'entre nous, selon nos goûts, nos moyens et répondant parfaitement à nos besoins. Les meubles rustiques furent toujours fonctionnels et si aujourd'hui il est difficile sinon impossible de redonner à une boîte à sel, à une panetière ou à un farinier leur emploi initial, par leur simple forme, exécution et patine ils peuvent avec beaucoup de charme se transformer en objet décoratif. Mais un objet utilitaire telle une étagère ouverte peut devenir une petite vitrine d'exposition de plats, d'étains, de porcelaines ou d'argent. Toutes les photographies qui se trouvent dans cet ouvrage représentent des intérieurs réels, où les meubles sont mis en valeur par le choix fait et le goût du propriétaire, car il y autant de manières d'élaborer, de concevoir et de réaliser des ensembles rustiques qu'il y a de personnes désirant le faire. Nous trouvons cependant trois manières principales de les utiliser dans un décor initial différent.

Nous pouvons réunir des ensembles dans un décor, dans un cadre fait pour eux avec un souci de l'exactitude et du respect de l'esprit traditionnel qui s'y attache. C'est faire en quelque sorte un peu abstraction des besoins d'aujourd'hui pour tenir mieux compte des usages du temps de leur création. Cette réalisation est fort difficile à obtenir car les pièces employées doivent être d'une époque déterminée et de même caractère. Ces ensembles se trouvent le plus souvent dans les musées des villes de province car un particulier peut rarement voir tant de circonstances se réaliser.

Nous pouvons cependant, dans un intérieur qui ne porte la marque d'aucune époque réunir et créer de très beaux ensembles. La chance peut faire trouver dans les greniers des ensembles parfaits qui pourront reprendre leur rôle dans un appartement moderne aux murs très stricts, sans aucune moulure, mais dont la sécheresse même fera ressortir la beauté individuelle de chaque meuble. Ce même mobilier transporté dans une pièce aux poutres apparentes, au dallage rouge, reprend un autre aspect et il arrive parfois que la différence est telle que la même salle à manger ne soit plus que semblable à elle-même.

Tous les greniers ne possèdent pas des ensembles totalement conservés, mais souvent des pièces provenant de régions plus ou moins éloignées, de factures dissemblables, aux dates différentes. Mais il arrive souvent que ces meubles supportent un mutuel voisinage et se mettent en valeur les uns par rapport aux autres. Que ce soit dans les grandes pièces des maisons de campagne ou dans les pièces des villes aux plafonds plus bas, aux dimensions plus petite, chaque meuble rustique peut trouver sa place.

Il n'est pas donné à chacun de posséder des meubles rustiques de famille. Il est infiniment plus facile, les possibilités sont beaucoup plus nombreuses de disposer dans un ameublement de style ou moderne quelques meubles rustiques choisis, sélectionnés parmi les meilleurs spécimens de plusieurs époques et régions. La plupart du temps le meuble perd alors son caractère essentiellement utilitaire pour devenir un objet décoratif, une pièce artistique. Ces intérieurs possèdent le plus souvent un caractère très personnel où le bon goût du propriétaire est absolument indispensable.

Tous les meubles rustiques peuvent donc trouver une place dans la vie de chacun, les possibilités sont innombrables pour les mettre en valeur sous un aspect décoratif ou utilitaire. En respectant leur forme, les souvenirs qui s'y rattachent, le goût personnel doit guider le choix et l'emplacement de chaque meuble afin de constituer de charmants intérieurs.

TABLE DES MATIÈRES

1. - Introduction.

5. - Coin de feu.

7. - Salle de séjour (J.-P. Agniel), Coin de feu (J. François).

8. - Salle à manger.

9. - Salle de séjour.

10. - Chambre à coucher (Restaudécor) — Salle à manger (G. et M. Moguilewsky).

11. - Salle de séjour.

13. - Chambre à coucher (Y. Chaperot). — Chambre à coucher.

14. - Salle à manger (Y. Chaperot).

15. - Salon (G. Gratteau) — Salle à manger.

16. - Salle à manger (G. et M. Moguilewsky) — Entrée — Couloir.

17. - Salle à manger (A. Laprade).

19. - Coin de feu, salle à manger. — Salle de séjour.

20. - Atelier d'artiste.

21. - Office. — Salle à manger.

22. - Coin de feu, salle à manger. — Salle de séjour.

23. - Living-room.

25. - Départ d'escalier. — Salle à manger (G. Gratteau).

26. - Salle de séjour.

27. - Bibliothèque. — Cuisine.

28. - Salle de séjour. — Salle à manger.

29. - Salle de séjour (G. et M. Moguilewsky).

31. - Loggia (Restaudécor). — Chambre à coucher (Restaudécor) — Cuisine.

32. - Salle commune. — Chambre à coucher.

33. - Loggia (Restaudécor).

34. - Salles à manger.

35. - Boudoir (Restaudécor).

37. - Entrée. — Chambre à coucher (Van Leyden).

38. - Chambre à coucher.

39. - Salle à manger. — Salle de séjour.

40. - Entrée. — Chambre à coucher.

41. - Salle à manger.

43. - Bar. — Salon.

44. - Salle à manger (F. Poncelet).

45. - Salle de séjour. — Entrée.

46. - Chambres à coucher.

47. - Salle à manger.

49. - Entrée. — Salle de séjour.

50. - Living-room.

51. - Entrée. — Salle à manger.

52. - Salon. — Salle à manger.

53. - Salle de séjour (Jacquelin - Jansen - P. Delbée).

55. - Living-room (G. et M. Moguilewsky).

56. - Chambre à coucher.

57. - Salle à manger. — Salle de séjour (G. et M. Moguilewsky).

58. - Salle à manger. — Bar.

59. - Salle à manger.

61. - Chambres à coucher.

62. - Salle à manger.

63. - Salle à manger. — Chambre à coucher.

64. - Chambre à coucher. — Sortie sur Terrasse (J. François) — Bureau (Lintermans).

65. - Chambre à coucher. —Boudoir.

67. - Entrée (M. de La Heraudière). — Cuisine.

68. - Salle à manger.

69. - Salle de séjour. — Salle à manger.

70. - Chambre (J. Deniau). — Living-room.

71. - Salle à manger.

73.- Cuisine. — Salle à manger.

74. - Salle à manger.

75. - Salle à manger (J.-P. Agniel). — Salle de séjour (J. François).

76. - Salle à manger. — Entrée. — Chambre à coucher.

77. - Salle à manger.

79. - Coin de repos. — Couloir (M. Van Leyden). — Entrée.

80. - Entrée.

81 .- Chambre à coucher. — Chambre à coucher (J. Deniau).

82. - Loggia (J. Deniau). — Coin de salon

83. - Salle à manger (W. Poulain).

85. - Chambre à coucher. — Chambre à coucher (Restaudécor).

86. - Chambre à coucher (A. Laprade).

87. - Entrée. — Salle de séjour (A. Comte).

88. - Salle de séjour. — Entrée (A. Comte).

89. - Salle à manger.

91. - Sellerie (M. Leclerc). — Salle de séjour (J.-P.Agniel).

92. - Salle à manger.

93. - Bureau (J.-P. Agniel). — Chambre à coucher.

94. - Salle à manger. — Entrée (J.-P. Agniel).

95. - Salle de séjour (Restaudécor).

97. - Bar. — Salle de séjour.

98. - Coin de conversation.

99. - Salle de séjour (G. et M. Moguilewsky). — Entrée.

100. - Salle de séjour. — Coin de feu.

101. - Living-room.

103. - Bureau (J. Couelle). — Salle à manger (Restaudécor).

104. - Salle de séjour.

105. - Salle à manger. — Coin de feu (Restaudécor).

106. - Salle de séjour. — Coin des repas.

107. - Salle à manger.

109. - Coin des repas (Restaudécor). — Salon.

110. - Salon, bibliothèque. — Bureau.

111. - Salle de séjour (Flérier).

112. - Salle de séjour. — Entrée, salle de séjour.

113. - Salle à manger.

115. - Salle à manger. — Terrasse couverte.

116. - Salon.

117. - Salle à manger. — Salon.

118. - Salle de séjour. — Salle de séjour (Restaudécor).

119. - Salle à manger.

121. - Salle à manger.

122. - Bureau (Y. Chaperot).

123. - Coin de feu. — Salle à manger.

124. - Coin de feu (Restaudécor). — Atelier.

125. - Cuisine, salle à manger.

127. - Coin de feu (Restaudécor). — Coin de cuisine. — Chambre à coucher.

128. - Salle à manger (Lintermans).

129. - Entrée, salon (Restaudécor). — Chambre à coucher.

130. - Salle commune. — Salle à manger.

131. - Cuisine, salle commune.

133. - Salle à manger. — Salle de séjour.

134. - Salle à manger (M. Chausse).

135. - Cuisine, salle à manger. — Chambre à coucher.

136. - Salle de séjour. — Salle à manger.

137. - Salle de séjour.

TABLE DES PHOTOGRAPHES

Studios JERE : Frontispice - Pages : 5, 7, 8, 9, 10, 11, 13 bas, 15 haut, 16, 17, 19, 21, 22, 25 bas, 26, 27 haut, 28 bas, 31 haut, 33, 34, 35, 39 haut, 43 haut, 45, 47, 49 haut, 50, 51, 52 haut, 53, 56, 57 haut, 58 haut, 59, 61 bas, 62, 63, 64, 65, 67 haut, 68, 69, 70, 71, 74, 75, 80, 81, 82 haut, 83, 86, 87 haut, 88 haut, 89, 93 bas, 97, 98, 99, 100, 101, 103 bas, 104, 105, 106 haut, 107, 109 haut, 110, 111, 112 bas, 113, 115, 116, 118 haut, 119, 121, 123, 127, 128, 129, 130 bas, 131, 133, 134, 135, 136.

Studios DUPUIS : 13 haut, 14, 20, 29, 31 bas, 32, 37, 41, 46 bas, 55, 57 bas, 58 bas, 63 bas, 73, 76 haut gauche, 76 bas, 79 bas droit, 85, 91 haut, 95, 106 bas, 118 bas, 121 haut gauche, 122, 124, 130 haut.

Photos VERDIER : 16 bas, 23, 25 haut, 27 bas, 28 haut, 38, 39 bas, 40, 43 bas, 44, 49 bas, 77, 79 haut et bas gauche, 87 bas, 88 bas, 91 bas, 92, 93 haut, 94, 117, 137.

Photos DÉLU : 46 haut, 52 bas, 61 haut, 67 bas, 103 haut, 112 haut, 125.

Photos MAYWALD : 15 bas, 82 bas, 109 bas.

SUR LA PAGE SUIVANTE :

La cheminée est ouverte sur deux côtés, un palier d'angle soutenant le linteau. Sur la tablette un saint Jacques en bois du XVe siècle, d'origine espagnole. Sur le coffre Louis XIII, à gauche, un haut bougeoir. Au premier plan, vieux bahut normand en chêne ; à droite chaise Louis XIII.

Salle de séjour avec la cheminée médiane contre laquelle s'appuie la table espagnole de la salle à manger ; chaises de même style. Contre la baie vitrée qui ouvre de plain-pied sur une galerie couverte, rideaux en toile rayée blanc et rouge. Coq en fonte sur l'étagère et luminaire de Disderot au-dessus de la table.
J.-P. Agniel, architecte.

Salle voûtée qui servait autrefois de cave et à laquelle on accède par un escalier en pierre. Le manteau de la cheminée de même que la grosse poutre qui sert de linteau reposent sur deux rouleaux à blé anciens en pierre. De gros chenets landiers retiennent les bûches. Le sol est dallé. Deux très beaux fauteuils Louis XIV recouverts de tapisserie au petit point ont trouvé leur place au coin du feu. Sur la table basse mortier d'aïoli en pierre. *J. François, décorateur.*

SUR LA PAGE PRÉCÉDENTE :

Dans une salle à manger un buffet bas dont le dessus est mobile comme celui d'un coffre et découvre une cachette placée au-dessus des tiroirs. Accrochés au mur de gauche à droite, calel (lampe à huile) en cuivre, limousine ancienne et, dans son étui de bois, petit métier à tisser les rubans. Sous la fenêtre le potager sur lequel sont posées les seilles (seaux) en cuivre. Une louche de bois sert à puiser l'eau.

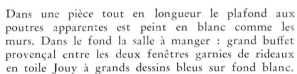

Dans une pièce tout en longueur le plafond aux poutres apparentes est peint en blanc comme les murs. Dans le fond la salle à manger : grand buffet provençal entre les deux fenêtres garnies de rideaux en toile Jouy à grands dessins bleus sur fond blanc.

Dans la même pièce que ci-dessus un escalier typiquement provençal s'orne d'une rampe en pierre taillée avec une très grande hardiesse. Les marches en pierre sont dallées et bordées d'une latte en bois. Un fauteuil est recouvert de la même toile de Jouy que les rideaux. Dans le fond panneau d'armoire sculpté en guise de porte.

CI-DESSOUS :

Dans une salle à manger dallée en noir et blanc on aperçoit sous l'escalier une baie libre en pierre donnant accès au fumoir aménagé dans l'ancien grenier.
G. et M. Moguilewsky, architectes.

CI-DESSUS :

Cette chambre a été aménagée au premier étage dans un ancien grenier. Au sol une moquette rouge ; les dessus de lit et les rideaux sont en cretonne à grands dessins agrémentée d'un galon rouge. *Réalisation Restaudécor.*

SUR LA PAGE SUIVANTE :

Dans une salle de séjour où une amorce d'un mur maçonné sépare la salle à manger du living-room, on s'est servi des éléments en bois de la charpente pour aménager une bibliothèque avec rayonnages très aérés. Le soubassement de cette bibliothèque revêtu de bois peut servir de table. Dans le fond, très belle armoire normande ; à côté, chandelier d'église en pyramide. Au premier plan, table basse rustique et banc de chantre. Côté living-room, les niches pratiquées dans la paroi peuvent, elle aussi, servir de bibliothèque.

Dans une chambre, commode provençale Louis XV, en noyer ciré, sur laquelle on voit un vinaigrier ancien, en grès au sel, provenant du vieux village de potiers de La Borne. Au-dessus nature morte de Pouchol. Lit d'André Sol recouvert d'un tissu gaiement brodé de pompons de couleurs. un petit bureau Louis XV avec une chaise ancienne en bois peint, provençale elle aussi. Au premier plan chaise cannée, en merisier d'André Sol.
Y. Chaperot, architecte.

Dans une chambre à coucher les murs sont gris perle, moquette gris foncé recouverte d'un tapis tissé noir et blanc. Contre la paroi, commode Directoire en noyer, fauteuil bonne femme et, à droite petite table à deux tiroirs. Les murs sont couverts de toiles représentant uniquement des fleurs parmi lesquelles on distingue, au-dessus de la commode, deux pots de jacinthe par Bernard Buffet.

Dans le salon la cheminée occupe toute la paroi du fond et se prolonge des deux côtés du foyer par des coffrages formant réserve à bûches. Les poutres apparentes du plafond sont d'une proportion inusitée et font ressortir, par leur masse sombre, la blancheur des murs. Fauteuils Crapaud en velours vert tilleul et rose ponceau, rideaux à dessins Louis XV bleus sur fond blanc ; table Regency et contre la cheminée, fixés de Suzanne Bartoloni encadrés par les deux statuettes de vierges hindoues en porcelaine polychromée. *G. Gratteau, maître-d'œuvre.*

SUR LA PAGE PRÉCÉDENTE :

Table de travail en chêne d'André Sol ; tabourets tendus de lanières en peau d'âne. Sur la table et à la fenêtre tissu de Paule Marrot. Eclairage d'angle de Serge Mouille. On aperçoit nouée à la rampe de l'escalier, la corde qui tombe du plafond utilisée par les enfants pour les descentes rapides de l'étage en surplomb. *Y. Chaperot, architecte.*

Dans la niche creusée dans l'épaisseur du mur les planches sont posées sur de petites consoles de plâtre ; ce genre de support est fréquent dans les maisons provinciales. En Provence, ces rayonnages servaient au rangement de la vaisselle et des ustensiles ménagers. Les sièges sont provençaux.

SUR LA PAGE SUIVANTE :

Ensemble Louis XV régional. Argentier à deux corps. Buffet Louis XV surmonté d'une panetière huguenote renfermant des porcelaines. Table Louis XIII, sur laquelle est posée une jardinière en Moustiers. En encoignure, un chauffe-bain berrichon en cuivre rouge. Tout autour de la pièce, court une frise Louis XV supportant une collection d'assiettes et de plats. Lustre hollandais. *A. Laprade, architecte.*

Salle à manger décorée de meubles et objets rustiques ouvrant sur la salle commune par une large baie que peut clore un rideau. L'unité est assurée par le dallage du sol qui est en pierres de comblanchien brut de sciage posées en « opus incertum ». *G. et M. Moguilewsky, architectes.*

Un long couloir dessert les chambres. La charpente en chêne au dessin puissant a été laissée apparente et cirée. Au mur, papier peint de Paul Dumas. *F. Poncelet, architecte.*

Comme dans toutes les demeures provençales, séparé de la pièce par une très belle rampe en plâtre, l'escalier aux marches recouvertes de carreaux en céramique rouge monte directement à l'étage. Dans l'encoignure, meuble d'angle rustique accompagné d'un petit coffre et d'un fauteuil en velours vert tilleul. Contre la paroi de l'escalier, un fixé de Suzanne Bartoloni.

Coin du feu et table des repas avec de vieux bancs de ferme. A droite, petit buffet panetière du XVIIe siècle. Sur le rebord de la fenêtre sont posés de vieux grès normands. Au-dessus de la cheminée une tête de cerf en bois polychrome surplombe des étains anciens. Un confortable canapé recouvert de velours amande permet les longues causeries devant le feu.

Sur le très vieux meuble de sacristie une fontaine en étain et deux urnes funéraires chinoises en bronze. Table et pot d'étain Louis XIII. Au-dessus de la porte, bois sculpté polychrome.

SUR LA PAGE PRÉCÉDENTE :

Le sol de ce grand atelier autrefois grange et grenier, a été revêtu de petites dalles provenant des ruines d'une vieille église. La cheminée est composée d'un grand foyer conique en tôle noire suspendue au mur par une potence. Un anneau est retenu au foyer par des chaînes et incrusté de céramique de Vallauris.

L'office et la salle à manger ont été blanchis à la chaux. Un carrelage rouge recouvre le sol et les mêmes carreaux en céramique tapissent l'évier. Sur la planche habillée d'une percale à fleur, les poëlons en terre et autour de la fenêtre des objets en verre servent de garniture, mais la plupart des pots en céramique ont été rangés sur le bahut rustique, tandis qu'une table paysanne aux pieds en « X » occupe le centre de la pièce.

A gauche de la cheminée, étagères à livres et réserve de bois. A droite sous le porte-fusil, banquette maçonnée recouverte d'une planche de chêne. Les piédroits et le linteau de la cheminée sont en granit ; une pièce de chêne forme tablette ; le foyer est en briques, pareilles à celles qui recouvrent le sol.

Le sol de cette grande salle de séjour est recouvert de petites briques d'un rouge vif. La fenêtre, entre le vaisselier de chêne et l'horloge à la caisse sculptée s'ouvre sur une rivière, le fauteuil et les chaises paillées sont lorrains.

SUR LA PAGE SUIVANTE :

Près de la cheminée en pierre d'un grand living-room s'ordonne la zone de conversation. En dehors du large devant le foyer en terre cuite rose cerné par un encadrement de vieux chêne, le sol de la pièce est entièrement recouvert de nattes de jonc. Commode provençale à deux tiroirs sur laquelle sont posés deux porte-bouquets en faïence d'origine allemande encadrant une très ancienne lanterne en fer forgé. Accroché à la poutre un vieux cartel d'écurie.

En Provence départ d'un escalier dont les marches s'arrondissent avec beaucoup de majesté. Une Amphore romaine et une jarre vernissée de la région ornent la paroi du fond, à côté de l'armoire provençale qui occupe l'angle. Au mur, assiettes en porcelaine et plat en étain. Au premier plan une baratte sert de porte-cannes.

Cette salle à manger toute blanche est éclairée par trois fenêtres garnies de rideaux en velours. La cheminée est devenue un compromis entre le barbecue et la véritable cheminée avec son foyer circulaire en briques réfractaires et son manteau en cône tronqué. Autour de la table Louis XIII rustique, chaises de même style, avec les sièges recouverts de velours beige.
G. Gratteau, maître-d'œuvre.

Dans cette bibliothèque où la moquette et le tapis chinois recouvrent le plancher, la table-bureau a été placée en épi contre la fenêtre. Des deux côtés de la fenêtre l'espace a été occupé par des rayonnages en chêne munis de tiroirs qui abritent livres et papiers.

SUR LA PAGE PRÉCÉDENTE :

Dans cette salle de séjour, la cheminée monumentale est placée contre le mur opposé à la bibliothèque. Le fond et le seuil sont en briquettes anciennes, rose cendré clair et les piédroits couronnés par deux corbeaux supportant la hotte, sont en pierre de Berchères. Le sol est carrelé de très anciens pavés en terre cuite aux tons variés.

L'archèle, aux dimensions inusitées, soutient les bassines en cuivre à longs manches et les cuillères en étain, contre la paroi préservées par un carrelage à grands carreaux de céramique sur lesquels des dessins rayonnants se détachent en bleu sur fond blanc. Une boîte à sel, une boîte à farine, une étagère pour les couverts comme on en trouve en Camargue, entourent l'archèle. Sur le bahut rustique, jarre à huile et pots. Dans le panier les herbes aromatiques qui parfument la cuisine.

Dans une maison en Provence, la baie faisant communiquer la grande salle avec une pièce étroite est munie d'une traverse en pierre garnie de poteries. Des plats en étain sont accrochés au mur et une panoplie espagnole en fer forgé contient les différentes fourchettes à longs manches pour griller la viande. Elle fait pendant à une collection de précieuses assiettes en porcelaine, accrochées au-dessus du buffet provençal.

SUR LA PAGE SUIVANTE :

Pour créer cette salle de séjour deux pièces ont été reliées, un système de charpente en vieux chêne remplace le mur abattu. On voit la cheminée avec ses piédroits et ses chapiteaux romans en pierre, le fond et le seuil sont en briquettes anciennes rose cendré. *G. et M. Moguilewsky, architectes.*

Cette étroite salle à manger contient des meubles arlésiens et espagnols du XVIIᵉ siècle. Les murs sont simplement passés au lait de chaux ainsi que le plafond. Le sol est carrelé de tomettes provençales.

Au premier étage d'une maison récemment aménagée la loggia en équerre se trouvant au-dessus de l'entrée a été aménagée d'un côté en bureau et de l'autre en fumoir. C'était naguère le grenier. *Réalisation Restaudecor.*

CI-DESSOUS A DROITE :

Cette chambre à coucher aménagée dans un ancien grenier contient une belle commode rustique ainsi qu'une chauffeuse du XIXᵉ siècle. Au sol moquette en poil animal rouge. *Réalisation Restaudecor.*

Un vieux coffre paysan et l'archèle placée au-dessus donnent à une cuisine un cachet rusti-que qu'accentuent grès, cuivres, étains, moules à gâteaux, pots à épices amusants par leurs formes et la diversité de leur matière.

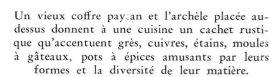

La porte d'entrée avec son verrou à chaîne s'ouvre directement dans la salle commune. A gauche, curieux et très rare petit meuble en chêne à la fois vaisselier et panetière. La partie basse sous le tiroir à couverts servait en effet à ranger le pain. Buffet campagnard à trois portes.

SUR LA PAGE PRÉCÉDENTE :

A l'extrémité de la loggia, l'espace commandant une chambre à coucher a été aménagé en bureau. Les fauteuils Louis XIII sont recouverts l'un de tissu à raies rouges et bleues, l'autre de tissu bleu. *Réalisation Restaudecor.*

Dans cette chambre à coucher les deux portes d'une armoire sculptée, à pointes de diamant ont été encastrées dans la paroi pour fermer les placards. Les rideaux en cretonne à fond bleu de la fenêtre sont assortis au couvre-lit. Une moquette verte recouvre le parquet.

La salle à manger est séparée du coin du feu par une paroi dans laquelle ont été ouvertes deux baies en plein cintre qui font communiquer les pièces au moyen de trois marches en pierre. Entre les deux baies, chaises lorraines en chêne encadrant un pétrin en chêne, lui aussi, sur lequel est posé le bassin d'une fontaine en cuivre rouge. On aperçoit au fond une très belle commode provençale.

SUR LA PAGE SUIVANTE :

Un excellent effet décoratif a été obtenu par le jeu des couleurs, briques vernissées du sol, peinture rouge du plafond entre les poutres. Rayures rouges et blanches des fauteuils de style Louis XIII. Les éléments de l'auge de l'étable ont été rapportés ici, à gauche, et forment un bar amusant. Au-dessus, une vieille poutre constitue une très rustique étagère à livres. *Réalisation Restaudécor.*

La cheminée de la salle à manger est encastrée dans le mur et seule une poutre vénérable en borde le manteau sur toute la longueur. Le foyer en brique réfractaire est surélevé de deux marches. De chaque côté de l'âtre, éclairé indirectement un espace a été aménagé pour ranger aussi bien les instruments du feu que les bûches. Le mur de la cheminée s'orne de trois plats en cuivre repoussé et des chenêts monumentaux supportent les bûches. Deant le foyer, rétable basse rustique, entourée par des canapés en Chintz fleuri.

Dans une ancienne ferme transformée la grosse rampe de l'escalier, la balustrade de la galerie, le plafonnage à chevrons, les poutres et les poteaux en bois rappellent son origine. Au premier plan une table rustique, le siège en bois est taillé à la hache.

Dans une chambre à coucher, sous la table se trouve un tapis mexicain tissé à la main. Contre la paroi au-dessus du buffet provençal en bois fruitier, miroir entouré d'un cadre en bois peint représentant des nuages et des têtes d'angelots (Italie du Nord). *Réalisation Van Leyden.*

Sur un grand tapis d'Aubusson, table du XVIIᵉ siècle espagnole entourée de deux chaises Louis XIII recouvertes de velours vert. Des récipients en étain et un grand plat également en étain garnissent la table. Lustre espagnol en tôle peinte argent et rose. Cabinet espagnol du XVIIᵉ siècle polychromé. Au mur tableau de l'école française du XVIIᵉ siècle. Sur le bahut provençal tête en pierre sculptée représentant un guerrier. Fauteuil Louis XIII en cuir noir.

Sur la page précédente :

Dans cette chambre provençale le lit est recouvert d'une cretonne d'origine locale. Le Christ est d'origine espagnole. Le petit meuble d'encoignure est en merisier.

Le fond de la salle de séjour avec l'escalier dont le palier fait galerie et s'orne d'une balustrade en bois recouverte d'un châle. Les marches de cet escalier sont en briques rouges. Une bibliothèque a pris place sur le palier. Sous la balustrade de la galerie, banc rustique en noyer ; contre la paroi, coffre en chêne. Sur la table, van en osier contenant des fruits.

Dans un mas en Provence, l'entrée est une pièce étroite qui s'ouvre d'une part sur la salle de séjour et de l'autre sur la cuisine. La table est en noyer et les bancs à dossier plein.

SUR LA PAGE SUIVANTE :

Sur l'emplacement d'une ancienne écurie on a aménagée une salle à manger. Cette pièce communique avec la salle commune que l'on aperçoit dans le fond. Elle reçoit le départ de l'escalier qui conduit à la loggia. Le limon a été décoré d'une bande de tapisserie. On remarquera la cloison qui ferme la cage de l'escalier ; elle est faite en briques aux teintes flammées disposées à chevrons entre les colombages.

Cette chambre à coucher est traitée avec autant de simplicité que de goût, avec ses murs blanchis à la chaux, le dallage noir et blanc de son sol, les meubles de la région, un bureau rustique et une commode d'inspiration Louis XV tous deux en bois fruitier.

Dans un ancien moulin à eau la salle
des machines a été transformée en
bar, mais elle a conservé son plafond
aux poutres apparentes et ses piliers
ont été lambrissés de mélèze pour
s'assortir au bar qui a relégué les
roues dans leur niche cimentée. Sol
d'ardoise en opus incertum. Au premier plan, meule en pierre servant de
table et banc rustique. Porte à volet
de bois dans le fond.

Dans une somptueuse demeure du
Périgord, il convient de remarquer
l'extraordinaire mosaïque de cailloux
et de briques, ainsi que le plafond à
la française.

Dans la salle basse d'une ancienne chaumière normande on aperçoit l'envolée de l'escalier, le sol a conservé ses carreaux de terre cuite rose.

SUR LA PAGE PRÉCÉDENTE :

Cette salle à manger en merisier ciré ; dans les vitrines aménagées de chaque côté de la fenêtre et fermées par des portes également en merisier se détachent sur fond de papier velours rouge une collection d'assiettes en porcelaine. *F Poncelet, architecte.*

L'entrée d'une villa sur la Côte-d'Azur est simplement meublée d'un coffre aux ferrures impressionnantes et d'un banc rustique qui a l'air d'avoir été taillé à l'âge des cavernes, ainsi que d'un escabeau supportant une lampe tempête. Au sol, un tapis des Baléares dont les entrelacs écrus sont relevés d'une bordure bleu lavande. La porte est curieusement garnie de fers à cheval.

Cette chambre est séparée de la salle commune par une simple
draperie, les murs sont blanchis à la chaux et le sol est recouvert
de tomettes rouges et oranges. Le secrétaire du XVIIe siècle peint
en faux-bois rehaussé de moulures en laque rouge, faisait partie
d'un ensemble de sacristie. Les chaises paillées espagnoles, du
XVIIe siècle sont peintes en rouge à motifs blancs, au centre table
de chasse pliante.

SUR LA PAGE SUIVANTE :

Un magnifique ensemble de mobilier lorrain, seul les
grès, pots à tabac et cruches sont d'origine alsacienne.

Cette chambre est entièrement vêtue de papier peint bleu
pâle et l'ameublement en est simple, mais intime et
confortable.

Dans l'entrée d'une maison en Ile-de-France, la grande cheminée en pierres et briquettes rosées en est la parure, une perspective s'ouvre sur un petit bureau à travers une baie cintrée. Au mur, un estanié provençal.

Dans une propriété en Camargue, le coin des repas de la salle de séjour. Le plafond à poutres apparentes est surélevé dans cette partie à cause de l'escalier qui conduit à l'étage. Un lustre en fer forgé suspendu à la poutre maîtresse éclaire la table en noyer autour de laquelle se réunissaient autrefois les gardians. Les chaises paillées viennent du pays des vanniers : Valabrègue. Contre la paroi, un dressoir garni de vaisselle camarguaise. Au premier plan, armoire provençale.

Dans une salle de séjour, le coin de repos sert à la fois d'entrée et détient en même temps l'accès de l'escalier conduisant à une chambrette. La table que l'on aperçoit à gauche provient d'un couvent vosgien.

Sur la page précédente :

A l'extrémité d'un living-room on voit cette magnifique armoire malouine du xviie siècle ainsi que cette curieuse table de métier très ancienne, chaises Louis XIII « os de mouton ». Au mur portrait d'Hélène Fourment, école de Rubens.

Dans une maison en Limousin, la grande salle qui était autrefois la cuisine de la ferme, conserve encore son immense cheminée dans laquelle on peut s'asseoir au « cantou ». On remarquera à droite du « cantou » la petite fenêtre donnant sous la voûte cochère, grâce à laquelle on pouvait voir arriver les visiteurs. La table en noyer est du xviie siècle, la crédence du xvie siècle.

Sur la page suivante :

Cette immense salle qui est le cœur de la maison a été créée de toute pièce dans ce qui était la machinerie d'un moulin. La suppression d'un étage a permis l'installation de la galerie qui court le long de trois murs mais ne dessert aucune pièce ; elle n'a qu'une fonction décorative. Les poutres et les poteaux de bois proviennent d'anciennes charpentes du moulin. *Jacquelin, architecte. Décoration de Jansen sous la direction de P. Delbée.*

Dans un salon aux murs gris perle, le plafond et les rechampis sont blancs, la moquette gris foncé est recouverte elle-même de tapis d'Orient. Au premier plan un lit-bateau et un guéridon en bois clair, à côté, un fauteuil paillé. A l'arrière-plan, salle à manger dont on aperçoit l'horloge rustique Louis XV.

Dans une salle à manger les rideaux sont de tissu flammé copie de tissu ancien réalisé par Pierre Frey. Table massive en chêne du XVIIe siècle, une porte-fenêtre est largement ouverte sur la terrasse.

Le grand living-room que l'on peut voir ci-dessous à droite et ci-contre possède une loggia dont on voit ci-dessous l'entée donnant accès à une chambre, les architectes ont laissé jouer en toute liberté la rude élégance de la charpente.
G. et M. Moguilewsky, architectes.

Cette salle à manger possède une très belle cheminée en grès noir datant de la fin du XVIIIᵉ siècle. Dans le renforcement de la paroi, au-dessus du buffet rustique Louis XIII, tapisserie de Lurçat, chaises paillées provençales, et table à tirettes aux pieds torsadés en bois blond. Sol recouvert de tomettes hexagonales de Salverne. Poteries espagnoles sur la cheminée.

SUR LA PAGE PRÉCÉDENTE :

Petite chambre provençale avec sol carrelé recouvert d'un tapis marocain, les murs sont blanchis à la chaux. Les meubles rustiques sont sans âge sauf la table basse Louis XIII et la gaufrière de même époque à claire-voie que l'on mettait jadis près de l'âtre pour faire lever la pâte. Une jolie collection de verres qui, du poron aux bouteilles de la passion, du narguilé aux mains romantiques se détachent en relief sur le mur.

Le coin des repas s'inscrit dans la salle de séjour entre la porte ouvrant sur le jardin et la cheminée que nous ne pouvons pas voir ici, le sol est dallé en opus incertum, les chaises lorraines sont recouvertes de velours retenu par des clous. *G. et M Moguilewsky, architectes.*

Table Louis XIII, chaises en bois, canapé provençal Louis XVI à trois sièges accolés composent le mobilier de la salle à manger dallée.
Sur la table, soupière en céramique noire
d'Avignon.

SUR LA PAGE SUIVANTE :

Dans un manoir à Collonges-la-Rouge, une
extraordinaire couleur est donnée à la grande
salle par les pierres rouges des murs et du sol.
Le mobilier du XVIIᵉ siècle est typiquement li-
moussin. Chaises à haut dossier et piétement
« os de mouton ». Sur la table, étains : pichet
gueulard, chauffe-plat et plat à saignée —
L'ancien évier encadré d'un bandeau de tapisserie d'Aubusson est utilisé comme bibliothèque.

Dans une entrée living-room le pied de l'escalier a été aménagé en bar meublé de tabourets
rustiques. Une ancienne suspension de salle de
billard à deux lampes à globe où l'électricité
remplace le pétrole d'autrefois éclaire la salle.

Cette chambre aménagée dans un mas provençal se trouve là où était naguère l'étable à vaches. Le sol est recouvert de carreaux de terre cuite et les murs sont blanchis à la chaux. Les rideaux en grosse toile sont à rayures vertes, rouges et blanches.

Dans cette chambre, commode rustique et fauteuil provençal, une couverture provençale en piqué recouvre le lit.

SUR LA PAGE PRÉCÉDENTE :

Pièce au plafond aux poutres apparentes peint en blanc; murs blanchis à la chaux, carrelage étoilé bleu et blanc dont le dessin se retrouve en bordure du revêtement en céramique de la cheminée. Table rustique, chaises de ferme au dossier et au siège en bois. Contre le mur, une chaise espagnole du XVIIᵉ siècle. Plats en étain et plaque en bois servant à couler les plaques en fonte pour les cheminées, suspendus autour de l'armoire languedocienne (origine Uzès) peinte. Sur le linteau de la cheminée et au-dessus de la porte, pots à eau en céramique à formes d'animaux ou de personnages. Lustre araignée Louis XIII.

Posée sur le buffet-coffre servant de panetière, la « dourne » en bois qui conservait frais le vin que les paysans emportaient aux champs. Au-dessus du buffet un panneau de bois sculpté au couteau figure un calvaire naïf. La lourde table est en noyer.

Ce petit meuble a été fait avec le tiroir d'une très grande armoire bressane.

Face au lit, le volume de l'armoire, en merisier, de style Louis XV campagnard, s'accorde parfaitement à la hauteur, réduite, de la pièce. Pique-cierges en fer forgé ornementé de fleurs en tôle peinte.

Cette chambre de garçon est traitée avec le maximum de simplicité : murs peints à la chaux qu'anime le brun chaud des colombages. Les divans jumeaux recouverts de tissu écossais, à fond bleu marine s'accotent à un solide coffre paysan.

SUR LA PAGE SUIVANTE :

Grâce à la disposition des murs et des poutres qui encadrent les deux fenêtres, la chambre à coucher à l'étage se partage en trois parties indépendantes et placées à des hauteurs différentes. Celle de droite surélevée d'une marche sert de boudoir ; elle est meublée en Empire, celle de gauche est en réalité le prolongement de la chambre à coucher proprement dite ; elle est meublée de façon romantique. Un grand bouquet de roseaux, hortensias et œillets jaillit d'une bassine en cuivre posée sur un trépied en fer forgé peint en blanc. Au premier plan grand tapis des Baléares dont les motifs ont été repeints. On remarquera l'épaisseur des poutres transversales encadrant celles du plafond.

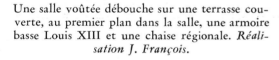

Une salle voûtée débouche sur une terrasse couverte, au premier plan dans la salle, une armoire basse Louis XIII et une chaise régionale. *Réalisation J. François.*

Sous le plafond aux poutres grises, murs et tentures rouges. Dans cette pièce le maître de maison a fait son bureau. Table espagnole. La cheminée a été retrouvée telle qu'elle est sous un revêtement de plâtre qui lui avait donné une forme « moderne ». Dans l'angle une statue en bois polychrome. *Lintermans, maître d'œuvre.*

Ce meuble est caractéristique de la région malouine : il faisait à la fois office de panetière, de garde-manger et de vaisselier. Un très beau bassin de cuivre est posé dessus. Fauteuil Régence. *M. de la Héraudière, Architecte.*

Un excellent parti a été tiré de l'exiguité même de la cuisine où l'on a réussi à créer un accueillant coin de feu près de la cheminée paysanne en brique et pierre. Les murs sont recouverts à mi-hauteur de carreaux de faïence orange. Banc-coffre à bois. Vieux cuivres.

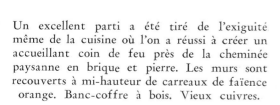

Entre les deux fenêtres donnant sur le verger, on aperçoit une très belle table de couvent provenant d'Andorre, avec bandeau sculpté. Elle sert à la présentation d'objets usuels : grand chandelier hollandais, en étain ; un vieux fer à repasser. Les rideaux sont en soie antique jaune avec passementerie rouge.

SUR LA PAGE PRÉCÉDENTE :

Au rez-de-chaussée, dans une ancienne tour carrée aux voûtes d'un très bel effet architectural. on a aménagé la salle à manger, dans un style très campagnard. Cheminée en pierre et brique garnie de chenets et de landiers en fer forgé. A droite, chauffe-cuve en cuivre, vieille balance, vis de pressoir et horloge auvergnate dont les pieds ont été sciés. Devant la cheminée petits fauteuils paillés dit « à la capucine », la tête de faune, sur la cheminée, est l'œuvre de M. Auguste Corron.

Dans un appartement parisien sous les toits, cette petite salle à manger tient sur une minuscule estrade à l'extrémité de la salle de séjour. On remarquera à gauche une belle collection de verres de couleur.

SUR LA PAGE SUIVANTE :

Le fond de la salle est utilisé comme salle à manger. Les portes du bahut typiquement ma-louin sont ornées de motifs sculptés. Le plateau central de la table est en ardoise, Sur le mur, à gauche, peinture sur bois « Judith portant la tête d'Holopherne » datée de 1666; à gauche, très beau coffre de voyage en bois peint.

Dans cette chambre, les poutres ont été blan-chies, à part les poutres maîtresses qui ont gardé leur ton de bois. Le tissu des dessus de lit et de la coiffeuse est de chez « Max » ; il est rayé de noir sur fond blanc, avec des bou-quets bleus, roses et verts. Petit fauteuil garni de tissu jaune, bordé de gris. A gauche, double porte d'armoire ancienne, en bois ciré. A droite, la porte de communication est peinte à l'an-cienne en bleu, rose et blanc patiné. Cheminée provençale ; plinthe en petits carreaux de céra-mique. Une ancienne soupente à la balustrade de barreaux de bois a été aménagée en bureau, et complète l'originalité de la chambre.

J. Deniau, décorateur.

Dans une ferme en Ile-de-France, ce living-room est divisé en deux parties par cette cloi-son laissant un large passage. Le sol dallé est recouvert de nattes végétales. Les heures sont scandées par le vieux balancier en cuivre ouvra-gé ; le jeu des poutres sombres s'inscrit sur le plafond clair et chaque meuble se détache sur les murs blancs.

Aménagé dans la cuisine, le « coin-repas » est entièrement revêtu de lattes de parquet, imprégnées d'huile de lin, d'une chaude tonalité. La table est un simple plateau fait des mêmes lattes et posé sur deux traiteaux ; au centre, quelques carreaux de Delft incrusté forment le dessous de plat. Suspension en cuivre et opaline rose, modèle classique du siècle dernier. Une série de petites cuillères, divers ustensiles de ménage en cuivre — dont un moule à gâteau portant la marque du Trianon décorent le mur au-dessus d'une longue banquette ; à gauche, dévidoir à poudre surmonté d'une gravure de Jacques Callot et de pots à épices. L'étroite fenêtre, en partie masquée par un volet, est équipée de rayonnages de glace supportant une collection de verres et quelques objets folkloriques. Les tabourets, au premier plan, proviennent de Marolles, village spécialisé dans les créations artisanales. Accroché au plafond, un curieux « porte-dîner » sculpté, utilisé en Europe Centrale pour les repas aux champs.

La table de la salle à manger, massive, est l'authentique table des moines. Le linteau de la cheminée est fait d'une poutre de belles proportions. L'anfractuosité du mur servait autrefois de niche où le cocher posait sa lampe à l'abri des courants d'air. Accroché au mur, un instrument en bois sur lequel les faucheurs adaptent une lame de faux. Cet outil facilite la confection des tas de foin. La porte, à gauche, a été décorée de fleurs naïves peintes par la toute jeune fille de la maison.

SUR LA PAGE PRÉCÉDENTE :

Sous les vieilles poutres : la table de ferme, la commode du XVIIIe siècle et le buffet campagnard d'époque Empire créent un ensemble à la fois familier et raffiné. Sur les étagères de très belles pièces d'argenterie mettent une touche de luxe à cette élégante rusticité.

Le coin de la salle à manger avec dans le fond un très beau bahut Louis XIII en noyer sculpté à pointes de diamant. Au-dessus, tableau du XVIIe siècle représentant un bouquet de fleurs. Sur le bahut, bougeoirs d'étain et pots à pharmacie anciens. Au premier plan, table et chaises de la renaissance espagnole. *J.-P. Agniel*, Architecte.

La cheminée de la salle de séjour en briques réfractaires est surmontée d'un plateau en cœur de chêne. Crucifix en fer forgé de Paulin Fayet, maître ferronnier d'Ispagnac. Suspendue à une poutre, une servante de feu a été transformée en luminaire. La chaise paillée au dossier sculpté est du XVIIe siècle espagnol. Coupe de René Ficault. Sur le pétrin, gros pichet en cuivre. Des assiettes octogonales ornent les murs ; elles sont décorées naïvement de signes du Zodiaque. *Réalisation J. François.*

Sur la page suivante :

La grande salle voûtée est riche en recoins. Dans le fond, une très grande archèle garnie de bassines en cuivre, d'étains, d'assiettes en porcelaine. De chaque côté du buffet, une fontaine montée sur un pied en pierre sculptée. Celle qui est visible est en cuivre rouge. Table espagnole et fauteuil provençal.

La table pour les repas est dréssée près du beau bahut provençal, dans la grande salle du rez-de-chaussée, contre la fenêtre qui ouvre sur le jardin une perspective... campagnarde.

Banc rustique de haute époque, tabouret Louis XIII utilisé comme guéridon, chaises lorraines, mandores et mandolines anciennes accrochées au mur, décorent cette entrée.

Un buffet ancien faisant office de commode et une chaise lorraine confirment le parti-pris de rusticité de cette chambre aménagée dans un ancien grenier.

Face à la zone des repas à l'autre extrémité de la salle de séjour, buffet bas campagnard Louis XV. Table guéridon en sapin, et fauteuil rustique. Deux marches conduisent au niveau de l'entrée communiquant largement avec la grande salle.

Dans un couloir conduisant aux chambres à coucher, avec les parties apparentes, murs blancs et sol en parquet collé, au premier plan posé sur un tapis copte tissé, une jolie table pliante languedocienne. *M. Van Leyden, Architecte.*

Dans cette entrée dallée de carreaux de terre cuite, un magnifique secrétaire Louis XIV en bois fruitier, une table Louis XV et des chaises rustiques.

Au fond de la pièce droite, lit « retour d'Egypte » et petite table de style Directoire voisinent avec la grande armoire de type régional sur celle-ci une « cafetière » échaudeuse qui servait à échauder les vignes.

SUR LA PAGE PRÉCÉDENTE :

Un escalier rudimentaire mais dont le mouvement s'inscrit bien dans cet ensemble paysan conduit aux chambres. Au mur, à gauche, une collection de cannes à lancer ; sur l'escalier un rouet de la région. Le plafond à « voutains » est caractéristique de la construction des maisons en Beaujolais.

La chambre d'amis a gardé ses poutres irrégulières et sa vieille cheminée avec l'ancien évier accoté, le tout peint en blanc comme toute la pièce — tissus des dessus de lit à fleurs bleues et blanches sur fond jaune et noir de chez Max — porte ancienne en bois ciré.
Réalisation J. Deniau.

Dominant le living-room, la loggia constituant un coin de conversation a été aménagée avec une banquette et un meuble espagnols ; fauteuil recouvert de toile verte — tabouret en bois d'olivier. *Réalisation J. Deniau.*

Sur la page suivante :

De bonnes proportions, la salle à manger sous un plafond aux poutres apparentes est résolument rustique. Table ancienne du XVIIe siècle, fauteuils normands du XVIIIe siècle. Ancien vaisselier auvergnat contenant des faïences de Rouen du XVIIIe siècle. *W. Poulain, Architecte.*

La table pliante entre les portes en plein cintre qui ouvrent sur le jardin et la chaise provençale au siège paillé meublent un autre coin du salon.

Aménagée sous les combles cette chambre à coucher a un lit normand du XVIIIᵉ siècle et une petite étagère à livres d'une rustique simplicité.

Dans une chambre la moquette en poil animal rouge tranche vigoureusement sur le blanc des murs, secrétaire rustique de style Empire. *Réalisation Restaudécor.*

Dans l'entrée de bonnes proportions, de beaux meubles régionaux et des objets de provenances diverses : panetière et pétrin provençaux, chaises alsaciennes, collier et cloche à vache rapportés de Suisse, lustre fait de vieille lampe à huile.

Sur la page précédente :

Dans une grande pièce où les poutres restent apparentes, l'architecte Laprade a aménagé deux chambres. On voit ici, dans l'une d'elles, cheminée et trumeau Louis XV. Armoire, table de chevet et bureau d'époque Louis XV. Le fauteuil de repos est recouvert d'une soierie à rayures cerise et crème. Papier peint vieux rose.

Cette pièce est à la fois l'entrée principale d'un moulin et la salle à manger. Elle est carrelée avec de grands carreaux en terre cuite du pays. Buffet provençal d'époque Louis XV, coffre Louis XIII. Sur la table, poissons porte-bouquet en faïence de Montmoreau. *A. Comte, Architecte.*

Contre la paroi s'appuie un banc rustique Louis XIII, avec un haut dossier en bois et un siège-coffre. Un fauteuil paillé provençal posé dans l'angle le sépare du buffet à deux corps dont la partie supérieure touche aux poutres apparentes du plafond. Des épis de maïs entourés de leurs feuilles sèches sont la seule garniture du mur blanchi à la chaux.

Sur la page suivante :

On voit ici le côté salle à manger de la longue pièce de séjour. Au premier plan, le canapé-causeuse en velours vert frangé et garni de passementerie rouge qui unit et sépare la salle à manger rouge et le salon vert. Tous les meubles sont en merisier ciré. Buffet deux corps, de style Empire campagnard : entrées de serrures, bases et chapiteaux des colonnes en cuivre doré et ciselé. Table également rustique et de même époque, ainsi que les chaises et fauteuils garnis de rouge. Les doubles rideaux sont en satin de coton de la même couleur, avec embrasses vertes. A droite de la fenêtre, petite table ancienne en acajou à trois pieds soutenant trois colonnettes, garnie d'un vase d'église en faïence.

Près de l'escalier qui conduit de l'entrée au living-room, table de changeur Louis XIII à dessus d'ardoise. Chaises et fauteuils campagnards du XVIIᵉ siècle. Au mur, carte de la région du Sud-Ouest établie au XVIIᵉ siècle. Une natte en jonc recouvre les marches en chêne de l'escalier. *A. Comte, Architecte.*

Dans les dépendances d'une propriété, la sellerie
est en même temps rustique et moderne. Lambris
de bois clair où sont accrochés selles et étriers.
Meubles rustiques, lanterne anglaise en cuivre poli.
M. Leclerc, Architecte.

Dans la salle de séjour avec le plafond abaissé, le
coin des repas est devenu ainsi plus intime. Un
degré dans le sol au pavé de mosaïques accentue
encore la différence entre les deux zones. Contre
le mur, grand buffet provençal. La porte vitrée
communique directement avec le jardin. Table
paysanne entourée de chaises paillées dans le fond .
au premier plan, fauteuil habillé de satin bleu.
J.-P. Agniel, Architecte.

Le bureau d'un médecin, murs et plafonds blanc mat, sol dallé en opus incertum. Grande baie vitrée garnie de doubles rideaux rayés gris et cerise. Dans le fond, armoire provençale vitrée à sa partie supérieure et, au premier plan, la table qui sert de bureau. *J.-P. Agniel, Architecte.*

SUR LA PAGE PRÉCÉDENTE :

La grande salle avec les pierres jointoyées de ces voûtes magnifiques qui s'épanouissent au-dessus de le cheminée Renaissance au double linteau soutenu par quatre colonnes, le sol de la pièce est dallé à la mode du pays. Les murs et les colonnes de soutien ont gardé l'authenticité de la pierre. La grande table espagnole en chêne, accompagnée de bancs à dossier de même origine, est celle où l'on prend les repas. Sur le premier entablement de la cheminée, une collection de tasses à café en faïence et de verres à pied en fin cristal datant de la renaissance. Sur le second, pots et jarres du pays. Fauteuils provençaux à siège paillé. Dans le fond, armoire provençale à la partie supérieure ajourée de fins fuseaux.

Le lit provençal avec deux amorces de colonne au pied. Sur le bahut Louis XVI provençal des vases en terre poreuse pour l'eau. Au-dessus, une tête de taureau en osier. Palettes de peintre et toute l'imagerie tauromachique garnissent les murs.

Les fenêtres à petits carreaux sont fermées par des volets intérieurs en bois plein. Une horloge rustique à boîte rectangulaire garnit le mur en compagnie des coffres en chêne. Un baromètre continue à marquer les variations du temps dans un étui en bois.

SUR LA PAGE SUIVANTE :

La cheminée au linteau en pierre reconstituée est à double rayonnement. On découvre, par la baie en plein cintre et à travers le foyer ouvert, la pièce dite « coin de feu ». *Réalisation Restaudécor.*

L'entrée de la maison avec son sol dallé en opus incertum, ses murs d'un blanc mat et dans le fond, la paroi palissée en pin verni munie de crochets en bois qui sert de vestiaire. Dans le renfoncement, panetière languedocienne à colonnettes et chaise paillée. Au fond, chauffeuse paysanne.
J.-P. Agniel, Architecte.

La salle des machines d'un ancien moulin transformée
en bar avec ses roues dentées comme décor, son plafond
aux poutres apparentes, et son lustre en fer forgé.
Contre la paroi éclairée par des petites fenêtres, banc
en bois garni de coussins rouges, chaise lorraine près
de la meule en pierre qui sert de table.

L'escalier à droite de la porte d'entrée, aux marches
recouvertes de carrelage rouge conduit de la salle de
séjour aux deux chambres du haut, plafonds à poutres
et à chevrons apparents (qui ont été dégagés) sol à
carreau grit mat. Un petit couloir conduit à la bibliothèque et à l'escalier qui mène à la salle voûtée. Armoire
basse Louis XIII. Table rustique de couvent. Chaises
paillées de Savoie. Bonbonne ancienne.

Entre les meurtrières fermées par des plaques de verre « Antique »,
un grand coffre à panneaux Louis XV supporte une cire de Car-
peaux : « l'Enfant boudeur ». Une lourde armoire Louis XIII et
une longue table lorraine, en vieux prunier, dotée d'une élégante
« barre aux chats », composent, avec le billot massif devenu table
basse, le rustique décor de la salle de séjour. *G. et M. Moguilewsky,
Architectes.*

SUR LA PAGE PRÉCÉDENTE :

C'est autour de la cheminée en pierre (XVIIIᵉ siècle) qu'a été aménagée
la zone de conversation. Fauteuils en velours côtelé vert anglais.
La loggia dessert les chambres qui sont aménagées dans le grenier.

Placé dans l'entrée, un vaisselier normand se trouve face à la porte
d'entrée.

Cette immense baie a été percée à la place d'un minuscule fenestron. L'huisserie de sapin est l'œuvre de J.-M. Palayer, artisan menuisier. Devant le rebord de pierre, coffre du XVIIe espagnol. Coupe de nénuphars, bougeoirs Louis XIII à trois pieds en fer forgé. Chaises espagnoles. Ici, comme dans toute la pièce, les voûtes sont éclairées indirectement par une lampe cachée dans une pierre creusée à leur point de départ. Il a fallu toute l'ingéniosité de H. Yvan pour réaliser l'éclairage de la maison, et particulièrement de cette pièce.

On voit ici un coin de feu dallé de carreaux de terre cuite rose. Une étagère à livres a été improvisée sur une poutre dans un léger renfoncement du mur. Cuivres et sièges normands.

SUR LA PAGE SUIVANTE :
L'entrepôt est devenu ce grand living-room ouvert sur la perspective de la rivière et des champs. Un escalier en chêne vieilli, couronnant la bibliothèque et le « coin de table » (alternativement bureau et salle à manger) conduit aux combles aménagés. Contre le muret au pilier fait de briques nuancées et limitant le palier, un divan s'accote naturellement.

100

Dans la grande salle, du côté opposé à la cheminée, bureau Louis XV provençal sur lequel est posé un petit pupitre polychrome du XVᵉ siècle orné de fines sculptures représentant des personnages. Au-dessus dans une niche prise dans l'épaisseur du mur, des santons en cire, coloriés, (XVIIIᵉ siècle) composent une nativité naïve. Lanterneau en staff. A gauche fauteuil recouvert de tissu provençal marron à fleurs jaunes. *J. Couelle, Architecte.*

La salle à manger a été installée près de la cuisine. La table de ferme et les bancs en merisier sont solognots. Le panneau de merisier sur le mur constituait le fond d'un vieux vaisselier provençal. A gauche, buffet pupitre campagnard. A droite, coffre rustique du début du XVIIIᵉ siècle. *Réalisation Restaudécor.*

Salle à manger lorraine comprenant un magnifique buffet à deux corps avec entrées de serrure et poignées en cuivre, table en chêne.

Sur la page précédente :

Face à l'entrée, l'escalier de bois qui monte aux étages. Au plafond, poutres apparentes mises à jour pendant les travaux et appartenant à la construction primitive. Tous les sièges : canapés, fauteuils sont recouverts d'un tissu vert garni de passementerie jaune (Rémilleux, tapissier). Contre le départ de l'escalier, un vieux saloir provençal sert de jardinière. Devant l'âtre de la cheminée monumentale, sur l'épaisse dalle de pierre du foyer, a été posé un grand soufflet de forge.

Entre la salle à manger et l'entrée-salon, une zone d'intimité se crée devant la cheminée. Petite table de style Louis XIII, fauteuils crapaud recouverts de reps bleu clair ; à gauche, bahut picard en merisier. Dans la niche à fond rouge vif, une statuette en bois. La cheminée, copie d'une cheminée du XVe siècle, est en pierre reconstituée. Sur la tablette, faite d'une grosse pierre, une vierge ancienne ; au premier plan, un chaudron d'Auvergne. La plaque en fonte porte la devise « seul contre tous ». *Réalisation Restaudécor.*

Le sol a gardé ses vieilles briques. Les pièces de bois d'un ancien pressoir étayent la poutre maîtresse. C'est à la place du four à pain qu'a été construite la cheminée. Fauteuil et canapé Louis XIII.

SUR LA PAGE SUIVANTE :

La très belle porte en bois sculpté munie d'un judas grillagé s'ouvre sur la cuisine. Le mur où s'appuie l'escalier en bois menant à l'étage est orné de gravures de botanique du siècle dernier. Au pied de l'escalier, statue en bois sculpté et polychromé. Un fléau de balance soutenant deux abats-jours sert de lustre au-dessus de la table espagnole flanquée de deux bancs de ferme posés sur un tapis de corde. Tous les meubles sont d'origine campagnarde : la table, le vaisselier aux faïences anciennes.

Dans le fond de cette pièce, la zone réservée aux repas. Meubles rustiques. Au mur, tapisserie à fond noir de Jean Lurçat. Peinture de La Patellière. Tapis Restauration à fleurs sur fond noir.

Face à la cheminée la table des repas. Buffet Louis XV campagnard, chaises basques, fauteuil crapaud recouvert de reps rouge, divan jaune. *Réalisation Restaudécor.*

Les murs et le plafond du salon blanchis à la chaux. La cheminée typiquement provençale est dans un angle de la grande pièce. Vieille table espagnole. Sur le sol de tomettes couleur de bois, des tapis d'Orient aux chauds coloris. Cette grande salle est l'ancienne cuisine, elle était contiguë à l'écurie.

L'architecte a obtenu le maximum d'espace pour la salle de séjour. On voit ici le départ de la galerie en bois soutenue par un énorme soliveau qui coupe la pièce à mi-hauteur. La porte d'armoire s'ouvre de côté sur un couloir. La disposition de la pièce permet d'avoir un coin intime autour de la cheminée et une salle à manger à gauche. *Flérier, architecte.*

SUR LA PAGE PRÉCÉDENTE :

Salon dans l'angle opposé, bibliothèque en merisier avec accolades Louis XV. Lit-bateau dont la garniture est pareille à celle des rideaux. Sur le tapis d'Orient, guéridon en bois clair et fauteuil paillé dit « à la bonne femme ». Au mur, composition de Clavé et portrait de Bernard Buffet. Au-dessous du Clavé, litho de Picasso.

Entre le salon et la salle à manger, au milieu de l'enfilade, a été réservé le coin de travail avec un très beau coffre Louis XV campagnard aménagé en bureau. Derrière lui, bibliothèque en deux parties. Sur la bibliothèque, un portrait de Kischka par lui-même et, sur le guéridon, son buste en bronze. Un long tapis de prière oriental recouvre la moquette.

La cheminée de l'ancienne cuisine, maintenant ornement de la grande salle, daterait du XVᵉ siècle. A gauche, au-dessus de la fontaine posée sur une console maçonnée la fenêtre de la cuisine actuelle. La porte et la fenêtre ont été récemment percées dans le mur mitoyen d'une maison en ruine devenue jardin. Des coloquintes géantes sont suspendues au-dessus de la table. Fauteuils et chaises provençales, tabouret en bois d'olivier.

SUR LA PAGE SUIVANTE :

Cette pièce qui fut un salon au XVIIIᵉ siècle sert aujourd'hui de « petite » salle à manger. On voit de part et d'autre d'une rustique petite table récupérée dans la laiterie un très ancien bahut, et un coffre de la région de Quimper. Sur le bahut, shane (ancien bidon de lait) en cuivre ; sur le coffre, collection de beaux plats d'étain.

Des poutres en chêne en guise de piliers amorcent un mouvement de voûte dans la baie libre qui s'ouvre entre l'entrée et la salle de séjour et servent en même temps d'appui à la construction en maçonnerie qui s'élève à mi-hauteur dans l'angle de la pièce. Derrière le mur on aperçoit la façade d'un lit clos breton posé contre le bar. Au-dessus, entre les deux torchères en fer forgé, un panneau sculpté du même lit clos breton. Dans le râtelier également en bois sculpté les carabines encadrent le portrait au crayon du maître de maison.

Une table et des chaises typiquement lorraines composent, avec un très beau bahut orné de guirlandes de chêne, feuilles et fruits, un beau coin de salle à manger.

Deux immenses baies rectangulaires sans vitres et séparées par un pilier d'angle rond ont été ouvertes dans les vieux murs. La base de ces murs a été refaite à l'ancienne. On a étayé le toit au-dessus de la baie de face avec une vieille poutre et au-dessus de celle de droite avec une poutrelle de fer recouverte de chaux maritime.

Sur la page précédente :

Un salon : murs gris perle, moquette gris éléphant, tapis d'Orient. Voilage de mousseline à la grande fenêtre encadrée de rideaux en satin rayés beige et rose, tenus par un lambrequin en bois. Devant la fenêtre, immense cage à oiseaux. Contre la paroi, commode Louis XV. Au premier plan devant l'armoire provençale de style Louis XV, chaises lorraines entourant une petite table.

Des cailloux polis par les pas de nombreuses générations de cuisinières pavent le sol. Dans l'épaisseur du mur, les anciens potagers. Des armes anciennes ornent le manteau de la cheminée ; la table et les chaises paillées sont périgourdines.

Tapis de sisal à fond rouge rayé de bleu et de blanc. Au fond, coffre Renaissance ; fauteuils Louis XIII et chaises campagnardes, fin du XVIIe siècle. Buffet rustique d'époque Louis XV. Au premier plan, vieille table tripode. Aux murs, ancienne plaque de rue espagnole en mosaïque polychrome et porte-mortiers en bois.

Salle de séjour meublée très simplement avec du mobilier du pays (armoire dite de « mariage ») au premier plan très belle petite table Louis XIII.

Sur la page suivante :

La salle à manger, murs gris perle, rechampis blancs, moquette gris éléphant, tapis d'Orient à dominantes vertes et rouges. Sous le lambrequin en bois à accolade Louis XV de la fenêtre, rideaux rayés rose et beige et voilage blanc, horloge bourguignonne à gaine droite. Buffet provençal avec ferrure et panneau garni de feuillages (XVIIIe siècle). Vaisselier du Morbihan surmonté d'un corps de buffet muni d'un tiroir. Entre le buffet et le vaisselier, chaise chauffeuse. Au plafond, lustre hollandais en cuivre.

Salle de séjour avec au premier plan, l'angle du salon qui fait face à la cheminée. Table basse de style Louis XIII. Buffet bas Louis XV campagnard.
Réalisation Restaudécor.

Opposée au coin de feu, la salle à manger ; table et bancs en bois fruitier. Les portes d'une vieille armoire ferment : celle de gauche, un placard, celle de droite, la cuisine. Au premier plan, près du guéridon, deux chaises espagnoles.

Pétrin et panetière provençaux aux bords festonnés et sculptés de feuillages du pays, table rustique et chaises Louis XVI paillées, bassinoire et casserole à long manche contre la paroi, portes de placard encastrées dans le mur. Jarre ancienne garnie d'un bouquet de chardons bleus dans la niche creusée dans la muraille.

Plafond aux poutres apparentes, murs blanchis à la chaux, sol cimenté et, dans le fond, l'âtre du foyer surélevé de la cheminée classique du mas. Table rustique et chaises paillées Louis XVI, fauteuil tapissé d'étoffe provençale. La cheminée de pierre a gardé son foyer primitif en granit. Un fauteuil recouvert d'étoffe provençale s'y réchauffe devant un couffion pour poser les pieds. A droite, faisant suite au placard, une petite étagère creusée dans la muraille.

SUR LA PAGE PRÉCÉDENTE :

Une table provençale au piètement en forme de lyre fait office de bureau. Le fauteuil également provençal, est semblable à celui peint par Van Gogh ; sur la table, pot provençal en terre cuite. Devant le radiateur, petite table Louis XVI en marqueterie à décor de menus carreaux en bois de couleurs. Rideaux en toile « Eléonore ». Au sol, tapis d'Aubusson, aux feuilles de figuier d'après la maquette de Paule Marrot. On aperçoit au fond un lit en merisier et cannage d'André Sol et une chaise basse d'enfant. Y. *Chaperot, architecte.*

Le plafond de la grande salle, enlevé, a laissé apparaître les belles solives et la poutre maîtresse. La cheminée a été reconstruite et sa forme rappelle l'ancien four à pain. D'Autriche viennent l'étui à pierre à aiguiser la faux et l'immense plat à lait descendu d'une hutte de fromager de haut alpage et le « valet de poêle » en fer devant la cheminée. Le coffre, où voisinent des pots alsaciens et une assiette, provençale, vient de la Brie.

Une cloison a été abattue, permettant à la grande salle de recevoir par une seconde fenêtre les rayons du soleil levant. Le charron d'un village voisin a fait les bancs, les tabourets et la table. C'est une très vieille porte de poulailler qui forme le dessus de la table. Dans l'angle, une « servante » en fer, de Bretagne, avec un plat à lait en bois d'Autriche et une grande cuiller du Jura. Sur la fenêtre : plaque à tarte flamande, très vieux pot à lait du Tyrol et enclume de faucheur. Une grille en fer, forgée par un artisan du village, ferme une petite niche.

Une banquette en pierre, maçonnée perpendiculairement à la cheminée, forme un agréable coin de feu. Sur un des tabourets en bois, lampe faite d'un porte-cierge en métal doré. Le sol est recouvert de tomettes hexagonales aux tons variant du rouge au rose. *Réalisation Restaudécor.*

SUR LA PAGE SUIVANTE :

La cuisine prolonge la salle commune sous la loggia. L'évier du XVIIe siècle, sculpté dans un bloc de pierre, a été découvert dans un village de montagne. La cuisinière est camouflée dans le buffet à dessus amovible, fabriqué dans le bois d'un vieux pressoir. Des carreaux polychromes espagnols habillent le mur. Les vieilles poutres ont été mises à nu. Au-dessus du banc en équerre qui marque le coin des repas : une toile peinte de la fin du XIXe, rapportée d'un voyage en Suède, représente une « Annonciation ». C'est un fragment de ces panneaux que les paysans scandinaves mettaient sur les murs de leurs maisonnettes en bois, au siècle dernier. La galerie à balustrade Louis XIII conduit à la terrasse aménagée dans l'ancien grenier dont les deux tiers du toit ont été supprimés.

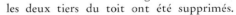

Le sol de ce grand atelier, autrefois grange et grenier, a été revêtu de petites dalles provenant des ruines d'une vieille église. La cheminée est composée d'un grand foyer conique en tôle noire suspendu au mur par une potence. Un anneau est retenu au foyer par des chaînes et incrusté de céramiques de Vallauris. Au premier plan, un lutrin Henri II. Les lanternes proviennent de l'ancien éclairage public du village. L'angle du fond est « l'atelier de peinture » du maître de maison.

La cheminée, copie d'une cheminée du XVᵉ siècle est en pierre reconstituée. Sur la tablette faite d'une grosse pierre, une vierge ancienne ; au premier plan un chaudron d'Auvergne. La plaque en fonte porte la devise « Seul contre tous ». *Réalisation Restaudécor.*

Amusante décoration réalisée dans la cuisine : une petite étagère sur laquelle sont posées des faïences de Strasbourg.

Le sol a conservé ses tomettes hexagonales rouges. Des vantaux d'armoire rustique provençale ferment un placard creusé dans le mur. Commode ancienne transition Louis XIV - Louis XV. Au premier plan, petite table du XVIIᵉ espagnol.

SUR LA PAGE PRÉCÉDENTE :

La salle à manger, qui ouvre directement sur le jardin par une porte vitrée, est traitée dans le style campagnard ; vaisselier, table et chaises sont en merisier. Le ton chaud de ce bois s'accorde parfaitement au rose des tomettes et au « vichy » rose et blanc dont les carreaux recouvrent les murs.
Lintermans, maître-d'œuvre.

L'escalier part de l'entrée traitée en petit salon : la table ronde est recouverte d'un tapis en velours violet, chauffeuse jaune, bureau dos d'âne de style Louis XV rustique. La penderie aménagée sous l'escalier est fermée par une porte d'armoire peinte en blanc. *Réalisation Restaudécor.*

Chambre de jeune fille de petites dimensions. Table du XIXᵉ siècle, fauteuil et bahut campagnards. Sol recouvert de linoléum anglais.

Une salle commune est établie dans une ancienne bergerie. L'escalier du fond monte au grenier à foin, transformé en salle de billard. En dehors des gros sièges confortables, couverts de peluche gris bleu et rouge brique, les meubles : tables, fauteuils, chaises, sont d'époque Louis XIII. Sur le sol carrelé de céramique ancienne est jeté un grand tapis d'Orient.

SUR LA PAGE SUIVANTE :

Dans cette cuisine méridionale, devenue salle commune, la cheminée au foyer surélevé est à la fois le centre de l'activité culinaire et le point sur lequel s'est exercée l'imagination décorative des maîtres de la maison. Les carreaux de faïence jaune s'accordent aux vieux bois et aux brillances des objets anciens.

Une table carrée a été récupérée dans une buanderie. Les bancs et les tabourets ont été conçus pour accompagner sa rusticité ; des treillis de bois tendus de simples serpillères, protègent les murs. lustre fait avec une crépine d'égout à laquelle sont suspendues des cuillères en bois. Un « cantir » de Navarre, une assiette de Transylvanie, de solides poteries suisses et bretonnes équilibrent les reflets des cuivres haut placés. Une ouverture a été aménagée dans la cloison de la cuisine. Le bel évier de grès blond a été maintenu sous la fenêtre, des niches ont été creusées pour abriter la robinetterie. Le rouge des rideaux éclaire les murs blancs et jaunes que réchauffe le brun brûlé des boiseries.

La cuisine est éclairée par la lampe en opaline blanche du siècle dernier, suspendue aux poutres apparentes du plafond, de même que la lampe à huile. Autour de la table en chêne massif, chaises provençales paillées. Deux vantaux d'armoire ferment le placard. Une porte, à clairevoie conduit à la souillarde.

Dans le fond de la salle de séjour, de chaque côté, un escalier à balustres en bois et à marches recouvertes de tomettes à l'étage. Contre le mur, glace Renaissance au cadre sculpté et peint or et argent, sur fond bleu entre deux mains porteflambeaux. Deux chaises paysannes à dossiers sculptés encadrent la table Louis XIII à tiroir. Couffions provençaux devant l'escalier.

La cuisine - salle à manger est traitée avec un parti de rusticité. Le sol est dallé de « menons » roses du pays avec des plinthes en céramique bleue. La cheminée provençale est encadrée par un pétrin et un bahut Louis XIII dont le motif en losange a été reproduit sur des petits placards dans la petite cuisine. Les appliques en fer forgé sont équipées de bougies électriques translucides.

SUR LA PAGE PRÉCÉDENTE :

La salle à manger de cet intérieur moderne aux murs gris, au sol dallé de pierres, est typiquement meublée à la languedocienne, pétrin rustique, panetière beaucoup moins ornée que celles de Provence, table de ferme et chaises paillées à dossier droit. Les assiettes sont dressées sur des napperons en raphia ; couverts à manches de bambou. *M. Chausse, architecte.*

Chambre d'amis blanchie à la chaux avec son mobilier Louis-Philippe : commode en merisier ornée de bouquets de mariée sous globe, fauteuil Voltaire habillé de velours, guéridon et chaise paillée. Les rideaux des fenêtres, de la grande comme de la petite, sont faits du même tissu à carreaux bleus et blancs que la couverture du lit.

Dans une propriété en Beaujolais, cette salle de séjour meublée d'un vaisselier régional, d'un type très peu répandu, présente de belles faïences anciennes. Chaise de fumeur Louis XIII, pétrin Beaujolais.

SUR LA PAGE SUIVANTE :

La bergerie a été transformée en une immense salle de séjour, et, si ses piliers en pierres jointoyées rejoignent les poutres apparentes qui soutiennent la toiture, une balustrade en bois découpé réduit la hauteur de la pièce. Contre le pilier, table Louis XIII à abattants et à pieds torsadés. Près de l'échelle, fauteuil Louis XIII galonné et frangé de blanc ; de l'autre côté, le fauteuil, de la même époque, est recouvert d'une étoffe à ramages. Table basse rustique en noyer.

Les murs et le plafond à poutres apparentes sont badigeonnés à la chaux. Le vaisselier est aménagé dans une cavité du mur. Sur la longue table rustique des carreaux, en céramique, blancs à dessins espagnols, « des azulejos », ont été incrustés et deux légumiers en Moustier la garnissent. Une lampe à huile ancienne, « un caleo », est suspendue à la poutre maîtresse. La cheminée passée à la chaux est flanquée à droite d'une niche voûtée.